KB206674

모호함의 언저리

3

모호함의 인저리

3

글·그림
이지

blackD

CONTENTS

모으
함의
의
언 저
리

EPISODE 07

그,
회장님께서
말입니다.

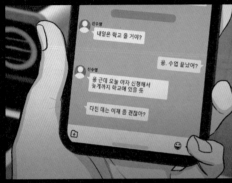

신수영
내일은 학교 올 거야?

응. 수업 끝났어?

신수영
응 근데 오늘 야자 신청해서
늦게까지 학교에 있을 듯

다친 데는 이제 좀 괜찮아?

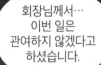

회장님께서…
이번 일은
관여하지 않겠다고
하셨습니다.

이건 사모님이
되도록 말하지
말라곤 하셨지만…

그 학생
퇴학 처리도 사실
사모님께서
손봐주신 거고…

네 알아요.
아버지야 원래 그런
분이시잖아요.

투명인간
취급하는 게
한두 번인가요.

정 비서님.
잠깐 근처에
세워봐요.

볼일 좀
보고 가죠.

정 비서님.

그거
가져와 봐요.

…네.

뭐 해
이거 안 놔?

아아악!!!
씨발!!

미친
새끼야!!

규진아.

수영이 때문에
퇴학까지 당해놓고
아직도 이러고
있는 걸 보면.

정말
수영이도 불쌍하다.
어쩌다 벌레새끼
한 마리가
들러붙어서…

알아?

그렇게 안 봤는데
근성 하나는
인정해줘야겠어.

큭…

뭘?

태서환

내일은 학교 올 거야?
오후 5:00

태지환

응. 수업 끝났어?
오후 5:10

응 근데 오늘 야자 신청해서
늦게까지 학교에 있을 듯
오후 5:10

다친 데는 이제 좀 괜찮아?
오후 5:10

...답장 바로 안 오네. 웬일이지?

두 시간이나 지났는데...

신수영~!

탁

너 석식 안 먹어? 같이 먹으러 갈래?

아.

난 석식 신청 안 했어. 어차피 맨날 야자 하는 것도 아니라서.

아~ 배 안 고파? 밥은 먹으면서 공부하지.

오후 5:10

응 근데 오늘 야자 신청해서
늦게까지 학교에 있을 듯
오후 5:10

다친 데는 이제 좀 괜찮아?
오후 5:10

태지환
자습 8시에 끝나지? 나 지금
밖인데 근처에 있을게
오후 7:20

끝나면 전화해. 같이 저녁 먹자.
오후 7:20

자습 8시에 끝나지? 나 지금
밖인데 근처에 있을게

끝나면 전화해. 같이 저녁 먹자.

알겠어
오후 7:30

태지환
응 그럼 이따 보자.
오후 7:30

오늘 수업
시간에 필기한 거
보여줘야겠다.

아, 갑자기 웬…
요즘 좀 무리했니.

그래도
지금 터져서
다행이다.

하아…
수영아.

키스해도
돼?

…응?

……..

귀
빨개졌네.

수영이 넌
귀가 민감한 거
같더라…

응? 아,
아닌데…

아ㅡ!

혀 잘 쓴다 너.
누가 가르쳐
주기라도 했나?

콜록,

콜록

하아…

하아—

그럼 이것도
빨아볼래?

잘…빨 거
같은데.

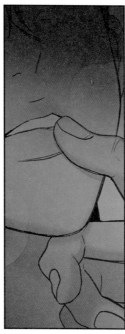

응?

……

삐
리
릭

6:30

삐리릭

쩍

쩍

!

삐리릭

……

삐릭

아…
피곤하다.

터벅,,

터벅,,

뭐 그런
개꿈을 다 꾸지?

어이가
없어서 무슨…

어디까지가
진짜였더라?
키스는…진짜
했던가?

멈칫

……

근데 진짜 그런 건
살면서 처음 봐.

오싹,,,

대체 어떻게…
어떻게 넣고
다니는 거지…?

29

이거…
좋아하는 사람이랑
있으면 이렇게
되는 건가 봐.

뜨끅

어 태지
사러 가냐?
나도 나도.

꺼져,
따라오지 마.

깜짝!

안녕.

…안녕.

……

좋아하는…
사람?

그동안 별생각 안 하고 있어서 몰랐는데… 되게 튀게 생겼네.

남자애들 사이에 있으니까 유독…

뭐, 하긴 누가 봐도 잘생기긴 했지.

얼굴도 작고… 자세히 보면 속눈썹도 길고, 입꼬리도 살짝 올라가 있고.

그러고 보니 피부도 꽤 하얀 편인 거 같네.

어쩔 때 보면 남자치곤 묘하게 예쁜 느낌도 있고.

빡

아- 그게 내 잘못이냐고~!

걍 니가 먼저 사과하면 되잖아. 쫌생이ㅅㄲ야 ㅋㅋ

참나, 신수영! 니가 보기엔 내가…

핵

야, 너 내 얘기 듣고 있냐?

응? 뭐라고?

하~ 신수영 요즘 상태 이상하지 않냐? 원래 안 이랬는데.

공부만 하다가 드디어 미쳐버린 거 아님?

혈- 설마 아니면 뭐 좋아하는 사람이라도 생겼냐? 내가 딱 보니까 그건데?

뭔 소리야. 아냐 그런 거.

…….

부늑!

신수영~ 이거.

네가 전에 빌려줬던 필기노트. 잘 썼다.

아, 벌써? 천천히 줘도 되는데.

야야, 나도 알자. 누구야? 이쁨? 사진은? 나도 보여줘.

사진? 무슨 사진?

33

신수영 짝녀 생김ㅋㅋㅋㅋ

에~~ 대박

짝…뭐? 그런 거 아니라니까.

이상한 소문 퍼뜨리지 마.

근데 수영이 정도면 여친 금방 사귈 거 같은데.

소곤 소곤

야~ 아냐 아냐. 이 새끼 눈 존나 높아.

이때까지 한 번도 여자 이야기하는 거 본 적이 없다니까?

다 들려.

탓

뭐야, 수영이 여자친구 이야기해?

야 태지. 너도 알지? 신수영 눈 존나 높은 거.

34

아— 진짜?
수영이 눈 높아?

......

난 얘가
여자에 관심 없길래
첨엔 게이ㅅㄲ인 줄.

근데 강 허들이
존나 높은 거였음.

...?

그거야
당연한 거 아냐?
굳이 말을 해야
아는 건가?

핵

ㅊ

원래 이상형은 본인이
받쳐주는 게 있어야
그게 기준이 되잖아.

수영이도
그렇게 생각할걸.

만지작

...음, 뭐...

나 그거 뭔지 알아.
잘난 새끼들 끼리끼리
논다는 거?ㅋㅋ

에에? 씨발~
재수 없어~

아~~ 근데 진짜
존나 불공평하네.
신수영 넌 가만 있어도
여자들이 막—

탓

팍!

36

……

…어…

쪽빡,,

매점 가자
수영아.

응? 지금?

번쩍

……

아 맞다. 너네 그거 들었냐? 옆반에 김주영이랑 최은솔 사귀는 거!

어? 레알??

난 김주영이 까일 줄 알았는데 존나 의외ㅋㅋ

근데 최은솔이 아까움

되게 이상한 조합이네. 쟤네 언제부터 저렇게 친했...

!

허어—? 미친...

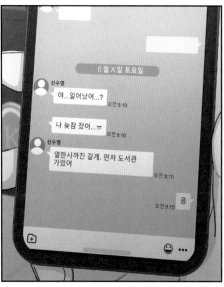

달칵

6월 X일 토요일

신수영
야... 일어났어...?
오전 9:10

나 늦잠 잤어...ㅠㅠ
오전 9:10

신수영
열한시까진 갈게. 먼저 도서관
가있어
오전 9:10

응
오전 9:15

팟

지익

그건 이쪽에 세팅해 주시겠어요?

네.

아, 지환아. 조금 기다려줄래? 네 아침밥은 이따…

지금 같이 먹을게요.

…그럴래?

아버지 곧 내려오실 거야.

네.

……

정 비서 호출했습니다. 식사 끝날 시간에 맞춰 도착한다고 합니다.

그럼 오늘 브리핑 시작하겠습니다.

이번 상반기 S그룹에서 리조트사업 투자유치 건 관련해서…

이따 하지.

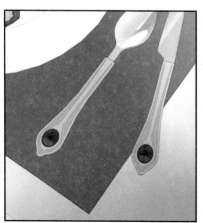

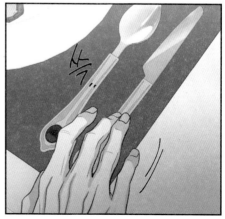

아, 여보. 내일 점심때 김 회장님하고 식사 자리 잡았는데 어떻게 하실래요?

그 사람은 당신 선에서 처리해요.

더 이상 우리가 그쪽 뒤 봐줄 일은 없다고 전해주고.

휘적

휘저적

네가 웬일이니. 따분한 아침식사 자리에.

돈 필요하니?

아…돈은요 무슨. 저도 가끔은 가족들이랑 식사해야죠.

아버지
얼굴 잊으면
안 되니까요.

……

정 비서한테
들었다.

네가 퇴학
처리시킨 학생이
규진이라고.

아,
정 비서가…!

여보, 지환이
학교 일은 제가
알아서 할게요.
당신은—

네 일에
관여할 생각은
추호도 없지만
임 실장 아들 일인
줄 몰랐구나.

네 뭐…
저도 처음엔
그렇게까지 할
생각 없었어요.

43

성질머리 대단하더라고요. 못 배운 애들이 보통 그렇잖아요.

당신, 근 시일 내에 임 실장이랑 식사 자리 좀 잡아요. 사모도 부르고.

…네.

안 그래도 거기 사모한테 먼저 연락 오긴 했는데 당신 일이 워낙 바쁘니까…

최대한 빨리 잡아볼게요.

키득

키득

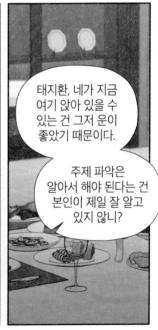

태지환, 네가 지금 여기 앉아 있을 수 있는 건 그저 운이 좋았기 때문이다.

주제 파악은 알아서 해야 된다는 건 본인이 제일 잘 알고 있지 않니?

알아서 눈치껏 처신 잘하길 바란다.

…네.

…….

하나 더 자를 걸 그랬나.

아 그렇지, 지환아 이제 곧 학교 방학이랬던가?

짝…뭐? 그런 거 아니라니까.

네.

근데 방학해도 학교는 계속 갈 거예요. 보충수업 신청할 거라.

보충수업? 방학 전에 수시 원서 바로 넣는 거 아니었니?

그냥 경험 삼아 해보는 거예요. 고등학교 마지막 방학이잖아요.

그래… 어차피 한국대는 네 성적 한참 밑이 커트라인 아니니?

45

예전에 아버지가 개인 과외 끊어버리셔서 성적관리가 힘들어지긴 했는데…

저야 뭐 꼭 한국대 가는 게 목표는 아니니까요.

아.

…아— 아닌가. 그럼 신수영이랑…

그래. 해도 안 되는 건 빨리 포기하는 게 좋지.

그냥 네가 잘하는 걸 찾아서 하렴.

요즘은 그게 융통성 있고 나중을 생각했을 때 제일 좋은 선택이 아니겠니?

다만, 너 같은 애들이 잘하는 게 있을진 모르겠지만.

피식

…….

뭐… 그래도 정 안 되면 해외로 보낼 생각도 있으니 앞으로 잘 생각하고 행동하는 게 좋을 거다.

…아버지.
여태껏 그런 말씀은
없으셨잖아요.

뭔 개소리야.
이제 와서?

싫으니?
그렇다면 네가
이 집에서
나가야지.

……

회장님.
정 비서님
도착하셨습니다.
지금 준비할까요?
아니면…

지금 가지.

사회성이라곤
찾아볼 수 없는
행동이나 말투나…
우둔한 표정까지,

점점 더
네 엄마를
빼닮고 있구나.

탓
ㅡ

오랜만에
그 사람 생각도
나니 좋네. 종종
식사 자리에
얼굴 비추도록
하렴.

나참,
정 비서가 골치야.
왜 쓸데없는 참견을…

하아..

지환이 너 어릴 적부터
아버지 옆에서
일하던 사람이라지만-

……

아—
뭐 입고 가야
되지.

이럴 줄 알았으면
옷 좀 쟁여두는 건데.

이 모자
쓸까?

아님
이거?

그냥 대충 입자… 도서관에서 공부하는데 옷이 뭔 상관이야.

죽섬

걔도 걍 편하게 올 텐데.

밖에서 둘이 만나는 건 처음이라 그런가…

하긴, 학교 말고 밖에서 볼 일은 딱히 없으니까.

죽섬

끼익

다녀오겠습니다.

달칵

까톡

야 여자애들
톡 왔는데 이따
스타*스 앞에서
기다린대.

송태희
니도 오래.
갈 거냐?

오늘?
아, 귀찮은데.

이ㅅㄲ
또 팅기네.
안 갈 이유가 있냐?
같이 밥 먹고
노래방ㄱㄱ

ㅁㅊ 꼴값ㅋㅋ
넌 진짜 눈만
존나 높아.

너 근데 걔랑
그 뒤로 뭐 없었냐?
전에 고백 받았다며.
왜 안 사귐?

사귀긴 무슨…
걔 얼굴 내 취향
아니야.

야, 너 혹시
방향제… 탈취제
같은 거 있어?

탈…뭐? 그런 걸
왜 갖고 다녀?
미친놈이냐?

아— 됐다.
나 가봐야겠다.
애들한텐 담에
놀자고 해.

뭐? 야!
다음에 언제?

야—
어디 가?

뭐야…송태희?
너 이 근처 살아?

응. 모자 땜에 아까
넌 줄 못 알아봤어.
어디 가는 길?

도서관.

허~
주말 아침부터
도서관? 거길
왜 가냐?

왜긴…
공부하러.

담배 냄새…
얘도 담배 피나?

저벅

저벅

졸졸졸졸

졸졸졸 졸

…뭐야
왜 따라와?

나도 갈래.

뭐?

54

약속도 없고 심심한데 나도 오늘은 공부나 할까 해서.

같이 가도 돼? 이따 저녁 사줄게. 같이 밥 먹자.

……

뭐… 상관없긴 한데 먼저 만나기로 한 사람 기다리고 있어서. 괜찮으면 가고.

아아~ 난 상관없어. 사람이야 많을수록 좋지.

와 도서관 개오랜만에 간다.

태지환

태지환
같이 들어가자. 정문 벤치 앞에서 기다리고 있을게.
오전 11:00

응 나도 다와가.
오전 11:00

말 안 해도 괜찮겠지? 어차피 도서관에서 공부만 할 건데.

태지환~!

야아― 미안. 정문 못 찾아서 좀 헤맸어.

괜찮아. 덥지? 얼른 들어가자. 마실 것 좀 사갈까?

어―

뭐야, 먼저 만난다던 애가 지환이였네?

…송태희?

아, 오는 길에 만났는데 같이 오고 싶다 해서.

이따 태희가 저녁 사준대.

저녁?

뭐냐 저 대놓고
띠꺼운 표정은…

움찔

태지환인 줄
알았으면 안 왔지…
괜히 왔나?

……

아 그…
미리 말 못 해서 미안.
이차피 아는 사이니까
상관없을 거라
생각했는데

너네 안 친할 거란
생각은 못했네…

아냐, 네가
사과할 거까진 없어.
이참에 태희랑
친해져야겠네.

…음…

지금 좀
당황스럽다.

모른 척할 수도
있었는데 이렇게
된 이상…

사실, 전부터
설마설마 했지만
지금은 확실히
알겠다.

태지환은
신수영을
좋아한다.

'친구'로서
좋아한다기보다는
'다른 의미'로.

59

아 참, 너 방학 보충수업 신청했댔지?

응.

넌 왜? 어차피 수시 원서 내면 거기서 끝 아냐?

그냥 뭐…고등학교 마지막 방학이기도 하고, 보충수업 신청 안 하면 그동안 너 못 보잖아.

뭐어? 그거 때문에 한 거야? 돈 아깝게…

돈? 내가 돈을 왜 아까워해?

…그래. 돈 많아서 좋겠다.

하하

뭐야 그 반응. 방금 약 올랐지?

벌게 다.

…….

그렇다면, 신수영도 태지환을 좋아하나? 라고 한다면 그건 아닌 거 같다.

신수영이 태지환을 대하는 행동과 말투에 '특별함'은 보이지 않는다고 해야 되나…?

장난칠 거면 옆에 앉지 말고 다른 데 앉아.

아무튼, 확실히 저쪽이랑 분위기는 다르다.

근데 태지환은…

?

욱질

아, 너무 대놓고 쳐다봤나.

수영아. 이 문제는 어떻게 풀어?

그럼 봐봐.

어어~?

아, 이거?
전에 내가 필기노트
빌려준 거에 적어
놨는데. 안 봤어?

봤지. 근데
봐도 어렵더라.
어떻게 하는지
알려줘.

이건 이 공식 그대로
적용 안 하면 오차 범위가
생기니까 헷갈리기
쉬운 부분인데—…

뭐야? 내가 빤히
보는 거 눈치 채 놓고
왜 모른 척…

무슨 말인지 이해 가?

응 조금.

툭

데구르르…

……

왜ㅡ 뭐야?
진심인가?
저 미친놈이…

같은 반 남자애를
저딴 식으로 쳐다보는
놈이 어딨어?

그…누구냐
민재형인가,

그 형이
여자랑 자려고
수작부릴 때나
봤던 표정인데.

우욱——

왜 그래?
어디 안 좋아?

역겨워
씨발…

아…아니.
아까 뭘 잘못 먹었나
속이 안 좋아서.

그래 태희야.
몸 안 좋으면 그냥
집에 가는 게 어때?
무리해서 있어봤자
몸만 상할 텐데.

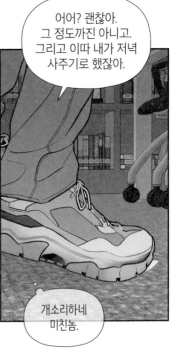

어어? 괜찮아.
그 정도까진 아니고.
그리고 이따 내가 저녁
사주기로 했잖아.

개소리하네
미친놈.

아, 근데 너네 진짜 중학교 동창이었던 거 맞아?

고등학교도 같은 반이면서 둘이 한 번도 대화하는 걸 본 적이 없는데…

아 뭐… 중딩 때 별로 안 친했거든. 너도 알지? 지환이 뺵 개쩌는 거.

중학교 때도 웬만한 애들 아니면 말도 못 붙였어.

째릿

왜? 뭐? 난 그냥 사실을 말했을 뿐이라고…

흐응? 태지환 넌 중딩 때도 여전했구나?

아냐. 태희가 잘 몰라서 그래.

아— 신수영… 존나존나 불쌍하다. 어쩌다 저런 새끼한테 걸려서.

65

또 뭐 이거 말고 모르는 건 없어?

......

응. 이 부분은 대충 된 거 같아.

쟤는 전혀 눈치 못 챈 거 같은데… 말해줄까? 말해줘야 하나?

태지환이 너를 어떤 눈으로 보고 있는지?

야, 근데 몸에서 손은 좀 떼면 안 돼? 내가 무슨 애착 인형 같은 것도 아니고…

…음.

뻘쭘...

엄마는 항상
나를 마음에 들어 하지
않았다.

처음엔 그냥
장난 같은 건 줄
알았다.

그도 그럴 게 엄마는
항상 집 안에만 갇혀 있었고,
심심해 보이기도 했고….
또,

콜록

슥륵..

맨날 똑같은 옷에,
똑같은 머리,
똑같은 방,

딸깍

똑같은 냄새.

왜?
뭘 꼬나보니?
재수없게.

먹었어.
됐지?

이제
가봐.

꿈나무 어린이집
KKUMNAMU PRESCHOOL

깔깔깔

꺄르르

야~
지환아!

불쑥!

너
괜찮아?

뭐가?

너네 엄마
많이 아프다며.

…어떻게
알았어?

선생님이
전화하는 거
들었어. 근데
나만 알고 있어.

다른 애들은
저얼대 모를걸?

......

뭐…나도
듣고 싶어서
들은 건 아니고…
근데 조현병이
뭐야?

몰라 나도.

아아, 됐어~!
너무 걱정하지 마.
나도 아팠을 때 주사 맞고
다섯 밤 자고 나니까
다 나았어!

너네 엄마도
그럴걸?

아…
시끄럽네.

지환이 친구~
정 기사님이 데리러 오셨어요.
가방 챙겨서 나오세요~

아, 그래도 약은
계속 먹어야 된다?

화장실...

달칵

쩡그랑

싫어!!!
싫다고!!!

더는 이렇게
못 살아!!!

이 집에서 나가게 해줘… 제발….

대체 언제까지 이러고 살아야 해? 나 이젠 진짜 너 만나기 전 삶으로 돌아가고 싶어.

약속했잖아. 네 애만 낳아주면 서로 간섭 안 하기로 약속했잖아!!

여기 있으면 미쳐버릴 거 같아… 더는 못 버티겠어. 응? 성준아…

약속? 무슨 약속?

평생 계속 그렇게 빌어봐. 내가 너 놔줄 거 같아?

최유진.
이번이 마지막 경고야.
다시 한 번 더 오늘처럼
발작하면,

이젠 집이 아니라
네 방에서 못 나오게
될 줄 알아.

명심해.

아빠는 엄마를
너무 사랑한다.

사랑하니까
가두는 거다.
멀리 가지 못하게.

하지만 아빠는
바보 같다.

도망가지
못하게 하려면
다른 좋은 방법이
더 많을 텐데.

......

딸그락

벌떡

휙

어디 가려고?
저번 같은 상황
만들지 마.

지환이 옆에서
먹을 거야.

탓

......

젓가락질…
잘하네. 누가
가르쳐줬니?

제가요.
누구한테 배운 거
아니에요.

…그렇니.

......

지환아 너,
지금 몇 살이지?

일곱
살이요.

아,
일곱 살.

내가?
엄마를 닮아?

난 한 번도
엄마처럼 울어본
적 없는데.

왜 또
우는 거지?

차라리
성준이를 닮지.
그래야 내가 죄책감이
덜 들 텐데.

무슨
죄책감?

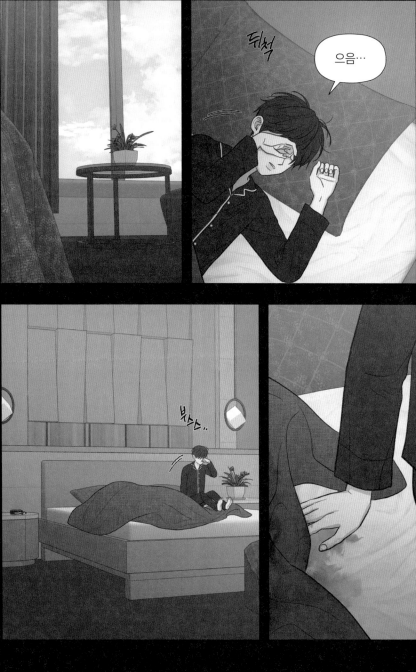

......

야, 한도윤.

뭐야?

할 말 있으면 해.
기분 나쁘게 계속
쳐다보고 있지만 말고.

...아.

쭈뼛
쭈뼛

...아냐,
그냥.

할 말 있는 건
아닌데...

아, 그렇다고
너 기분 나쁘라고
쳐다본 건 아니고...

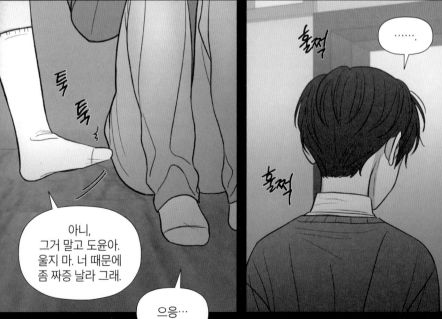

어라, 지환이 아니니? 그, 태 전무님 아들…

안녕하세요.

엄마, 지환이 알아?

그럼, 알지.

역시 전무님 닮아서 그런지 똘망똘망하게 잘생겼네.

도윤이가 집에서 친구들 이야기 곧잘 하는데 지환이 이야기 엄청 많이 하거든. 네가 좋은가 봐.

요 일주일 전에 잠깐 볼 일 있었는데, SJ그룹 재단 병원…

아, 아니다.

호호..

아아— 그런 거 얘기하지 마.

아저씨. 왜 맨날 아저씨만 오고 엄마는 한 번도 저 데리러 온 적 없어요?

…그건… 사모님이 평소에 몸이 많이 안 좋으셨잖아요.

집에서 안정을 취하는 게 우선이라 밖에는 못 나가셨어요.

…사모님이요?

못 나간 게 아니라 안 보내준 거겠지. 감금당했으니까.

엄마는 아파서
죽은 게 아니다.

그냥
죽고 싶어서
죽은 거지.

모호함의 언저리

EPISODE 08

그날 아빠의
우는 얼굴을
처음 봤다.

하얀 도화지
모서리에 아주 작고
까만 점이 있다면.
까만 점은 나,

그리고
하얀색 덩어리들은
엄마나 아빠나… 도윤이.
뭐 그런 거다.

안녕하세요.
지환이 친구예요.

내가 보통의 사람과
다르다는 건 예전부터
어렴풋이 느끼고 있었다.

기쁘거나 슬픈 감정을
구분하는 것에 어려움을
느끼는 걸 깨닫게 된 후부터.

가방은
이리 주세요~

탓

가자,
이쪽이야.
내 방.

왹

달칵

와— 여기가
네 방이야?
엄청 큰데!
너 혼자 써?

응.

혼자 자면
무섭지 않아?
난 여기서 혼자
못 잘 거 같아.

이, 이쪽은 뭐야?
구경해도 돼?

하지만,
단 하나의 감정은
제대로 느낄 수 있다.

배가 고프면 밥을 먹고,
졸리면 잠을 자듯.

나한테 '충동'만은
오로지 자연스럽게
받아들일 수 있는
감정이다.

부모에게
물려받은 것도 아니며,
누군가 가르쳐준 적이
없는데도,

본능대로 느끼고
행동할 수 있는
나의 유일한 감정.

꺽…

꾹…

그러니 사람들에겐
내가 이상하게 보이겠지.

아마 말해줘도
이해하지 못할 거다.

난 그렇게 생각
안 해.

아— 갑자기 대타를 부르네.

여기 알바 그만두던가 해야지. 미안, 밥은 다음에 사줄게.

괜찮아. 늦는 거 아냐? 빨리 가봐.

간다~ 너네들 공부는 적당히 해. 적당히.

덩그러니...

그럼 우리도 여기서 헤어질까?

저녁은 둘이서 먹으러 가자.

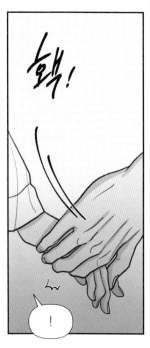

왝!

!

가자. 이제야 둘만 있을 수 있겠네.

왝

근데 너, 태희랑은
어떻게 알게 됐어?

…송태희?

네가 태희랑
안 친하다곤 했지만
태희는 너 되게 잘 알고
있던 거 같던데?

저벅

저벅

그냥 뭐.
반이 별로 없었거든.
자잘한 소문 같은 건
빨리 퍼지니까. 그게 사실이든
아니든.

그럼 중학교
때도 같은 반이었어?
그때도 피어싱 하고 있었어?
귀 뚫는 거 아프지 않나…

…….

아, 그리고
걔 담배도 피더라.
좀 날티 나게 생겼다
생각은 했지만.

근데 지환아 너도
혹시 담배…

앗

툭

수영아.

응?

뭐? 아, 아니. 관심이랄 거까진 아니고…

그냥 할 말 없어서 한 건데.

너 태희한테 관심 있어?

너랑 아는 사이였다니까 궁금해서 그렇지 뭐.

스윽..

지그시..

뭐 내가 말실수라도 했나?

너한테 관심은 어떤 의미야? 난 걔 피어싱 한 줄도 몰랐어.

…뭐?

오, 오해하지 마!

난 그런 의미로 말한 게 아니-

꼴깍~

앗.

…시간이 좀 됐네. 근처 레스토랑 예약해둔 거 있으니까 가자.

뭐? 그런 건 언제…

어제 미리 해뒀지.

……

저녁 고마워.
잘 먹었어.

다음엔 내가 사줄게.
…그…이런 비싼 곳은
어려울 거 같지만…

집 근처에
자주 가는 맛집 있거든.
나중에 같이 가자.

응.

그럼
이제…

머엇
..

머엇
..

?

갈 시간이네.
곧 버스 올
시간이기도 하고.

가기 싫다…

……

수영아. 아직
막차까지 시간
좀 남았지?

어? 응.

그럼 잠깐 나랑
어디 좀 갈래?

마침 잘 됐다.
지금 시간에 가기 좋아.
여기서 가까워.

……

지금 시간?

그러고 보니
아직 모르겠네.
그때 했던 말.

'좋아하는 사람'
이란 건 뭐였을까?
이참에 물어볼까?

아, 근데 이런 거
잘못 물어봤다간
큰일 나지 않나?

나만 쪽 당하고
이상해지는
그런 상황이…

전례

전례

그냥 별다른
의미였겠어?
친구니까 좋다…
뭐 그런 거일
수도 있는데.

여기야.
다 왔어.

뭐야?
이런 곳은 왜…

나 어릴 때,
엄마가 멀쩡했을 때
가끔 데려왔던 곳이야.
아버지랑 결혼 전에
살았던 동네래.

멀쩡했을 때?

지금은 같이
못 오지만.

왜?

병으로
돌아가셨거든.

어? 그때 봤던
아주머니는…
아, 혹시.

그 사람은
새어머니.

…그렇구나.

재혼가정이었구나.

…….

근데 여기 뭔가…

나랑 안 어울리지? 이런 데.

그래도 난 이런 네가 좋더라. 그런 집보단 여기가 훨씬 사람 사는 곳 같잖아.

아침이든 밤이든 항상 한적하고, 고요하고.

학교… 도서관, 수영이 네가 사는 곳, 우리가 다녔던 곳도 전부 한 눈에 보이고.

방금처럼
나라면 절대 못 했을
낯간지러운 말을
잘도 하고.

태지환은
뭘까?

같이 지내다 보면
처음 만났을 때 생각했던
모습이랑은 완전히
다른 사람 같다.

가끔 의중을
알 수 없는 태도에
당황스러울 때도 있지만
겉보기와는 다르게
세심하고… 다정하다던가.

오늘처럼
노골적으로 질투하는
모습은 어린애
같기도 하고.

뭘 그렇게
빤히 쳐다봐?

아니… 그냥.

난 지금도
잘 모르겠다.
태지환이
어떤 사람인지.

여기
너랑 오니까
더 좋다.

…….

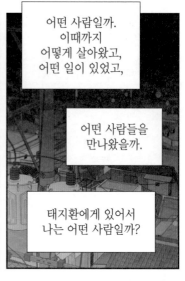

어떤 사람일까.
이때까지
어떻게 살아왔고,
어떤 일이 있었고,

어떤 사람들을
만나왔을까.

태지환에게 있어서
나는 어떤 사람일까?

너,
나 좋아해?

깜박

응.
좋아하지
당연히.

넌?
넌 나 좋아해?

…….

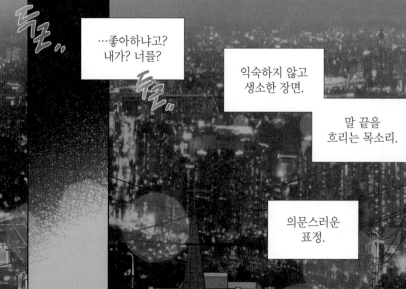

두근..

두근..

…좋아하냐고?
내가? 너를?

익숙하지 않고
생소한 장면.

말 끝을
흐리는 목소리.

의문스러운
표정.

난 너 좋아해.
너도 나
좋아하게 될걸?

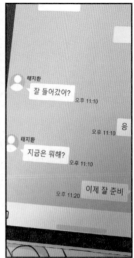

태지환
잘 들어갔어?
오후 11:10

응
오후 11:10

태지환
지금은 뭐해?
오후 11:10

오후 11:20
이제 잘 준비

……

난 너 좋아해.
너도 나
좋아하게 될걸?

아, 또
생각나버렸다.

풀썩

…아니 근데 좀
이상하게 꼬여버렸네.
그 말을 어떻게 받아
들여야 되지?

얼떨결에
저질러버린 건 난데
그래도 태지환은…

태지환이 남자를
좋아한다고?
진짜…?

아— 미쳐버리겠네.
애매하게 끝나버리니까
결국 확실한 건
하나도 없잖아!!!

뒹굴

뒹굴

......

왜 마주보고서
하는 말로는 내 마음을
다 표현할 수 없는 걸까?

하긴,
같은 반 되기 전엔
말 몇 마디 제대로
나눠본 적 없었고,

그때 난 태지환을
안 좋게 생각하고
있었으니까.

음…

꿈지락..

신기하다.
이렇게 된 게.

태지환

톡

꿈지락..

통화

태지환

통화

페이스톡

……

조용~

딱히
할 말은 없는데…
끊는다고 할까?

아, 저 그럼
이제 끊을…

방학
다음 주인가. 벌써
1학기도 끝났네.

아…어?
방학?

그러게.
시간 되게
빨리 간다.

그치?

꼼지락

내일 원서 넣겠네.
1지망 한국대지?

응. 난 그냥
바로 넣으려고.
넌?

나도.
너랑 같은 대학교
가야 되니까.

어때?
한국대 갈 수
있을 거 같아?

같은
대학교…

뭐, 그거야 모르지.
근데 난 열심히 했어.
중간고사도 기말고사도
나름 노력한 만큼은
했으니까.

…솔직히
기대해볼 정도는
되는 거 같아.

……

…음, 그렇구나.

그럼 수영아.

너 방학 때 뭐 할 거야?

방학? 난 어차피 정시도 생각하고 있으니까 학교 가서 공부할 거야.

그래서 보충수업 신청도 했고.

아니, 보충수업 시작 전에 일주일 동안 말이야. 그때도 공부만 할 거야?

아…

그때 잠깐 쉬는 것도 괜찮지 않아? 너무 입시에만 신경 쓰지 마.

마지막 고등학교 여름방학인데 아깝잖아.

…별 걸 다 걱정해주네. 근데 왜?

방학하고 주말에, 우리 집에 놀러 와. 하루만 제대로 시간 내줘. 시험공부니, 도서관이니… 그런 거 말고.

아, 물론
오늘도 좋았어.
송태희가 없었다면
더 좋았겠지만.

······.

여튼··· 둘이서만
온전히 볼 기회가
없던 거 같아서.

응?
수영아.

음, 뭐.
하루···정도면
나쁠 건 없긴
하겠다.

알겠어. 그럼
주말에 갈게.

하하.

꼼지락

왜,
왜 웃어?

그냥, 너랑
이렇게 친해질
줄 몰라서.

······.

그건 내가
할 말인데.

150

졸업하고,
대학생이 돼서도
지금처럼만 같았으면
좋겠다.

이렇게
통화도 하고,
가끔 만나서 놀기도
하고.

…….

그렇게 하면 되지.
난 또 뭐가
대단한 거라고.

응. 그러네.

'지금처럼'
만이라…

지환이랑 같이
대학교 합격하면
좋겠다.

자— 오늘은 자유시간이다.

원서접수 기간이라 어수선하니 밖에 나갈 생각하지 말고 강당 안에서만 놀아.

쌤— 애들이랑 농구 하고 싶은데 공이 없는데요.

뭐? 안 갖다 놨어? 체육부장 어디 갔어?

지환이 원서 땜에 담임쌤이랑 상담하고 있을걸요.

흠…그럼 신수영. 수영이 네가 좀 갔다 와라. 창고에서 공 좀 갖고 와.

네.

아 쌤, 그럼 저도 같이 갈게요.

어어— 그래라.

…너 수업 째고 싶어서 그런 거지?

뭐 어차피 자유시간이잖아~ 할 것도 없고 심심해서. 가자.

너 원서 냈지? 어디? 한국대?

응. 당연히 1지망은 한대지. 넌?

난 뭐… 너 1반은 한대 지망 애들 몰려 있는 거 알지?

근데 그런 애들은 절반뿐이고 절반은 바닥 깔아주는 애들이잖아.

난 솔직히 한대 관심 없거든. 아니 대학 자체에 관심 없어.

끄덕 끄덕

어차피 졸업하면 아버지 사업 물려받아서 그쪽으로 갈 거니까.

153

뭐냐 이 냄새…
향수는 아닌
거 같고.

쿵

비누…?
로션?

신기하네.
쩐내만 나는
남자새끼들 사이에도
이런 애가 있긴 있구나.

하긴 신수영은
이상한 냄새 나는 게
상상이 안 되긴 한다.

키도 작은 게
생긴 것도 애매하게
생겨가지곤 솔직히 이상한
소문 퍼질 만도…

휴우-
뭐가 이렇게 섞여 있지.
잘 좀 정리하지.

달컹

송태희. 넌
도와주러 왔다면서
왜 보고만 있냐?

어? 아…

국궁..

뭐, 뭐지?
내가 잘못
봤나?

어? 아닌데?
털…털이
없는데?

이건 내가
들고 갈 테니까 나머진
네가 가지고 와.

뭐냐 왜…?
왜 있어야 될 게
없는데???

별로
안 무겁네.

?

?

벌떡

미끌

슉

어.

......

헉.

데구굴구르

야, 조심 좀 해.
나 없었으면 너…

와…

배시시..

고, 고마워.
뒤로 넘어질
뻔했네.

투덜

진짜 태지환...
할 일은 해놓고 가야
될 거 아냐? 이럴 거면
체육부장은 왜 했대?

투덜

왜

애들
기다리겠다.
빨리 와.
나 먼저 간다.

쿵

쿵

슥..

뭐 하는…

찌릿

찌릿

애지?
진짜.

맴ㅡ

맴ㅡ

맴ㅡ

으...
진짜 덥다.

저,
A동 가려면
어디로 가야
되나요?

여름방학이
시작됐다.

안녕하세요. 53층… 5302호 가려는데요.

맨 꼭대기 층이었나.

태지환
로비에서 관리인한테 호수 말하면 집 앞까지 안내해줄 거야.
오후 12:20

아, 오늘 오신다고 했던 펜트하우스 손님이시군요.

이쪽입니다. 따라오시죠.

ELEVATOR HALL

아… 그런 데를 펜트하우스라고 하는구나.

띵

53

회장님, 손님 오셨습니다.

회장님?

달칵

아버지 손님이 아니라 제가 불렀어요. 제 친구요.

아, 그럼 출입명단 작성은 넘기겠습니다.

들어와. 오늘 엄청 덥지? 오느라 힘들었겠다.

도리

도리

와─ 전에 한 번 와봤지만 여전히 적응 안 되네...

두리번

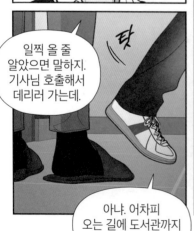

일찍 올 줄 알았으면 말하지. 기사님 호출해서 데리러 가는데.

탁

아냐. 어차피 오는 길에 도서관까지 들렀다 온 거라서.

아 참, 실내화
신어야 되지?
이거 신으면 돼?

응.

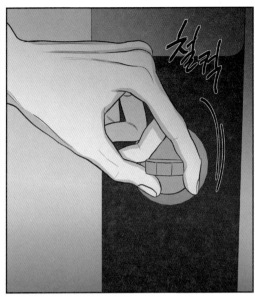

철컥

근데 부모님은?
인사 드려야 되는데
안 보이시네?

두 분 다
해외 출장.

부모님 계시면
너 불편하니까
오늘 부른 거야.

응? 아냐
난 괜찮은데…
근데 해외 출장도
가시는구나.

뭐, 그런 김에
집안일 하시는 분들도
하루 쉬라고 했어.

오늘은 너랑 나, 여기 단둘만 있는 거야.

어?

잠깐만… 단둘?

그럼 오늘 하루 종일 둘이서만…

뭐, 뭐야 진짜??? 난 당연히 다른 사람도 있는 줄 알았는데???

밖에 나가자고 할까? 아, 근데 넘 더워서 나가긴 싫은데… 근데 진짜 이런 상황은 생각 못 했다고!!!

수영아. 가방 무겁지 않아? 짐은 내 방에 두고 와. 복도 왼쪽 끝 방이야.

앗, 응.

달칵

뭐 어쩔 수 없지.
이렇게 된 이상
한두 시간만 있다가…

와— 전에 왔을 땐
어두워서 잘 안
보였는데 방이 무슨
내 자취방보다 커…

끼긱...

이게 다
옷장인가?

여긴
화장실?

쏙

쏙

자기 방이라
했으니까 아마 다
혼자 쓰는 거겠지?

165

흠…?

우와,
엄청 미인이시다.
옆엔 지환이겠지?

어릴 때나 지금이나
얼굴은 판박이네.

근데 누굴까?
같이 찍은 거면
아마 가족…아.

……．

이때
돌아가셨나
보구나.

여기 엄마 말고
누구랑 같이 온 건
네가 처음이야.

너도 마음에
들어했으면
좋겠다.

엄마를 많이
좋아했나?

달그락

슥..

어슬렁

아까 요리부터
한다 했지?
뭐 만들려고?

우선 간단하게
파스타랑 오믈렛.

치익

아… 난 뭐
도와줄 거 없어?

수영이 넌
오늘 손님이잖아.
도와줄 필욘
없는데.

그래도,
보고 있기만 하면
미안하잖아.

생긋

음…그럼 저기
달걀 좀 풀어줄래?
세 개면 될 거 같아.

아, 이거?

잠깐만,
너 흰옷이니까
앞치마 하는 게
좋겠다.

어… 괜찮은데.
이런 거 없어도.

슥

옷 지저분해지면
기분 안 좋을 거 아냐.
모처럼 신경 써서
입고 온 건데.

…신경 쓴 거
너무 티 났나?

169

수영이 넌 요리 잘해?

요, 요리? 음…

하긴, 넌 자취하니까 잘하겠지?

…아니. 사실 나 요리는 젬병이야. 그래도 라면이랑 달걀 프라이 정도는…

달걀 프라이…?

하하하

왜, 왜 웃어!

그래, 좋겠다 넌. 공부도 잘하고 요리도 잘하고. 못하는 게 없어서…

이 정돈 그냥 평범한 거지. 그리고 나도 그렇게 잘하는 건 아닌데?

재수 없어…

음, 이건 이제 다 된 거 같은데… 네가 간 좀 봐볼래?

뭔데?

크림파스타 소스.

흐흥~ 그래. 얼마나 잘했는지 궁금하다. 줘봐.

어…

먹어봐. 네 입맛에
안 맞으면 조금
손 볼 테니까.

……

쪽

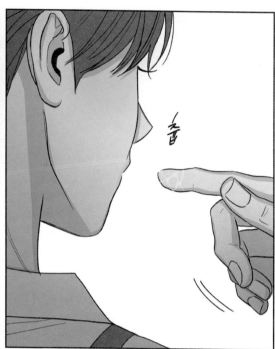

즙

...응,
맛있다.

그래? 다행이네.
입맛에 맞아서.

쪽

조용~..

몇 시간이나
떠들고 놀았지?
시간 되게
빨리 가네…

눈치..

쟤도 이젠 좀 피곤할 텐데 집에 가란 소리는 안 하네.

···생각보다 별일은 없었다.

둘만 있으면 어색해질 줄 알았는데 그런 것도 없었고.

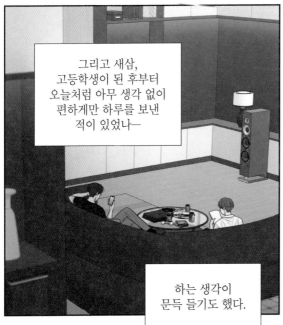

그리고 새삼, 고등학생이 된 후부터 오늘처럼 아무 생각 없이 편하게만 하루를 보낸 적이 있었나―

하는 생각이 문득 들기도 했다.

하긴··· 입학하자마자 얼마 안 돼서 엄마는 수술 때문에 입원하고,

그때부터 혼자 살기 시작했으니까.

175

은점수	합계
98.60	
100.00	98.60
100.00	100.00
99.20	100.00
90.00	99.20
95.60	90.00
8.20	95.60
00	98.20

장학금 때문이라도
성적에만 온 신경을
쏟기도 했고.

뭐… 그거 말고
다른 생각할 여유
같은 건 없긴 했지.

오늘 태지환이
안 불러줬으면 지금쯤
도서관에나 박혀
있었을 텐데.

휴우ㅡ

탓

왜 그래?
왜 갑자기 표정이
어두워 보이지?
오늘 별로
재미없었어?

응? 아냐,
그거 때문은
아니고. 그냥…

같이 밥 먹고
영화 보고,
게임하고,
이야기하고…

오늘 평범하게
했던 것들이 이상하게
현실감이 안 느껴져서.

그동안 나도 입시에만
너무 목매고 있어서
더 그런 거겠지만…

아, 그래도,
지금도 제일 중요한 건
공부가 맞다고 생각해.

앞으로
반년만 버티면
답이 나오니까.

……

순간
'아차' 싶었다.

같이 있으면
소소하지만 편하고
안정감이 드는 사람.

간만에 느끼는
여유로움
때문인지,

아.

아님 그냥
잡생각들에 빠진
기분 탓 때문인지.

저기,
지환아.

나 다음에 또 여기
놀러 와도 돼?

톡

....

응. 와도 돼.
언제든지.

툭

음…

너무
크지 않나???

헐렁~

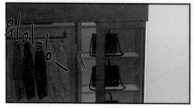

읭이잉~

옷은 어때?
잘 맞아?

아, 응.
좀 크긴 한데
괜찮아.

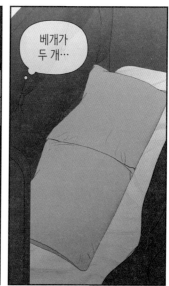

베개가
두 개···

왜?

···난
어디서 자?

어디서 자냐니.
여기서 자야지.

……
같이 자?

뭐
문제 있어?

어… 아니, 나,
난 바닥에서 잘게.
잠버릇
안 좋아서…

…….

베개랑
이불만 주면
내가 알아서…

홱

앗;;

그냥
여기서 자.

털썩

아.

…그래.

친구 집에서 자는 거 초등학생 때 이후로 처음이네.

……나 자다가 코 안 골겠지?

자나? 벌써?

삐걱

우와, 내가 살면서 태지환 자는 얼굴을 다 보게 되다니.

근데 어두운 데서 봐도 피부 되게 하얗네.

이렇게 보니까 좀 닮았나?

아버지는 뵌 적 없어서 모르겠는데 그래도 엄마 쪽을 더 닮은 거 같아.

아, 알겠다.
은근~하게 예쁜
얼굴이라고 생각했던 게
그거 때문인가?
역시 유전??

끄덕 끄덕

음~~그렇군...
그런 거였어.

뭐 해?

앗.

자, 자는 줄
알았어…

빨리 자.
피곤할 텐데.

…….

자지 마.

꼬옥

조금만 이따
자면 안 돼?

쭈뼛..

그래.

획

오늘 어땠어?
재미있었어?

……

오늘?
아, 응… 넌?

나도.

…나 근데 처음엔
좀 걱정했었어.

뭘?

공부 말고 다른 걸
해본 적 없어서
뭘 해야 될지
잘 몰랐거든.

네가 나 재미
없어 하면 어떡할까
이런 생각도 했고….

푸핫~

…왜 웃어…

그런 걸
왜 걱정해?

진짜야. 나 나름
심각했었다고.

수영아.
넌 진짜 괜한
걱정을 하고
있네.

…태지환.
근데 너 좀
의외인 거 알아?

의외?
어떤 게?

음식 하는 거 말이야.
여기 처음 왔을 때도
그랬는데.

너 같은 애들은
보통 그…
일하시는 분들이
다 해주지 않나?

요리하는 건
누가 가르쳐줬어?

188

아니.
딱히 배운 건 아니고
엄마가 요리하는 거
좋아했었어. 자주는 아니라도
서로 좋아하는 거 같이
잘 해먹었었거든.

어릴 때부터 옆에서
보다 보니까 나도
자연스럽게 할 수 있게
된 거 같아.

…아.

요리하는 거
취미로 삼으면 좋아.
재밌고, 나름
성취감도 느껴지고.

옛날
생각도 나고.

……

네 어머니,
어머니는 어떤
분이셨어?

지금 널 보면
자상한 분이었을
거 같은데.

……

……·

…그래서?

거짓말하더라.
사모님은 아프시니까
자기가 대신 와
주는 거였다고.

난 알았거든.
애초에 엄마 안중엔
내가 없었다는 거.

그 사람한테 한 번 정도는
인정받아 보고 싶었는데
그땐 너무 어려서 어떻게
하면 좋을지 몰랐어.

아…

근데, 지금 다시
그때로 돌아간다 해도
결과는 똑같은
거 같아.

생각보다
엄마에 대한 감정이
좋지 않은 쪽…
인가?

조금 놀랐다.

어느 무리에서나
우위에 있고
사람 낮잡아 보는 걸
당연하게 생각하는 애가
이런 말을 한다는 게.

곤란하네…

언젠간 알게 될
사실이었겠지만

태지환이
이런 식으로
자신의 일부분을
드러내 보일 줄은
몰랐다.

지금 모양새가 꼭,
'이제 어떻게 위로해줄래?'
라는 속마음을 대놓고
보게 된 꼴이 되어버렸다.

…동정심.
우선은 동정심이라고
해두자.

꼬옥

글쎄, 난 좀
다른 생각이 들어.

너네 어머니,
네 생각보다 너 많이
아꼈을 거 같아.

전에 나한테
보여줬던 장소, 너한테
특별한 곳이랬지?

네 엄마도
마찬가지였을걸? 네가
태어나기 전에 살던 곳이니까.
그래서 너 어릴 때 자주
데려가신 거겠지.

음...또,
너랑 같이 요리하는
것도 좋아하셨고.

왜 그랬을
거 같아?

답은 별로
어려울 게 없다고
생각되는데.

...네가
생각하는
답이 뭔데?

자기 아이
싫어하는 엄마는
없잖아.

그래?
…넌 그렇게
생각해?

뭐, 뭐야
갑자기 이렇게
안긴다고????

에라
모르겠다.

저기,
지환아.

응?

그때
네가 했던 말.
그거 말인데…
조금만 기다려
줄 수 있어?

너는?
너는 나 좋아해?

지금 결정하기엔
아직 해야 될 게
너무 많은 거 같아.

그러니까 잠깐만,
우리 졸업하고
성인이 될 때까지.
그때까지만
기다려줄래?

나 지금은
목표하고 있는 거,
그거 꼭 이뤄야 해.

그게 다 끝나면
대답해줄게.

…….

알겠어.

수영이 너랑
좀 더 나중에
친해질 걸 그랬어.

…왜?

너 보기보다
영악한 애네.

나는 진짜…
나는, 참는 걸
세상에서 제일
못 하는데.

그래도
기다려는 볼게.
네가 부탁했으니까.

근데 수영아,
나.

생각보다 널
더 많이 좋아하게
될 거 같아.

우...
너무 일찍 왔나.

얜 뭐야?
성적 관리 안
한다더니.

어— 신수영 안녕.
너 왜케
일찍 다니냐?

나 원래
일찍 일어나.

······.

벌써 공부하냐?
징하다 징해~

…넌 보충수업
왜 신청했어?

학교에서
애들이랑
놀려고 왔지.
할 거 없잖아.

참나.

아 근데 오늘
진짜 개덥다.
에어컨 몇 시부터
틀어주냐?

9시일걸.

…….

후.

으...
진짜 덥긴 덥네.
낼부턴 그냥
천천히 와야겠다.

뭐야,
자습하는데
방해돼. 저리 가.

이따 해
이따.

이런 게
태지환 취향인가?
난 잘 모르겠는데.

야, 근데 뭐냐.
너 이런 거 써?

뭘.

뭐… 개 취향 알아봤자 내가 뭔 상관이겠냐만.

뭐긴,
이거ㅋㅋ

팍!

아.

ㅋㅋ
분홍색 토끼볼펜?
존내 유치해—

……

째깍…

아니 뭐…
귀엽다고. 토끼…

내놔.

홱

아—
좀만 이따 해.
나랑 놀아줘어~

어차피 하루 종일
책만 보고 있을
거 아냐.

203

햄스터 같아.

ㅋㅋㅋ

휙

휙

됐어
다른 거 쓸 거야.

딸깍

흠, 근데
태지환은 신수영을
어떻게 하고 싶어서
그런 걸까?

…역시 뭐,
그런 쪽인가?

윽, 진짜?
아, 또 생각하니까
소름 돋는데…

우왁..

휙

?

…….

아, 근데 솔까 딱
신수영까지라면 뭐…

가능하려나?

야 태지.
이따 점심시간
밖에 나가서
먹을 거?

드륵

글쎄.

야,
볼펜 돌려주고
네 자리로 가. 그렇게
보고 있으면
부담스러워.

자.

어…
태지 하이.

태희야, 수영이
공부하는데
방해하지 마.

엉?

남이사?
내가 뭘 하든
왜 참견이야?

떨떠름,,

……

뭐야, 왜 이렇게 안절부절해? 얘 지금 태지환 눈치 보고 있는 건가? 뭐 땜에?

허, 참나.

딩동~

댕동~

눈치..

왜 따라오는 거지… 급식 먹으러 안 가나?

208

아 근데
오늘 진짜 덥네.
내일은 체육복도
갖고 와야겠다.

야…
나 음료수
마실 건데
너도 마실래?
사줄게.

…그래.

음… 뭐 마실까.
너부터 뽑아.
뭐 마실래?

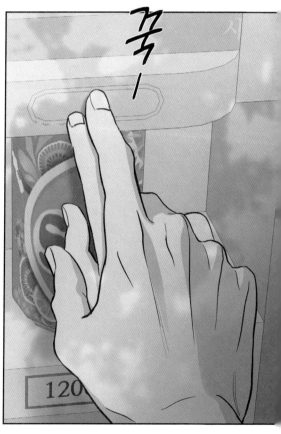

120

달캉

아.

슥

……

벌컥

벌컥

…아까부터 눈치 보여 죽겠네. 또 뭐 땜에 삐졌지?

툭

난 그냥 일찍 등교해서 자습하고 있었는데…

그리고 뭐 송태희랑 잠깐 얘기한 거 말고 없…

아, 설마 아까 아침에 톡 온 거 씹어서 그런가?

까똑

까똑

까똑

까똑

까똑

태지환
수영아 일어났어? 오전 6:25

오늘부터 보충수업 같이갈래? 오전 6:30

내가 데리러 갈까? 오전 6:30

수영아 뭐해? 오전 6:40

태지환
수영아. 오전 6:42

버스 안에서 자느라 못 본 건데…

야!

핵

나 아까 톡 일부러 씹은 거 아냐. 새벽에 잠 덜 깨서 버스에서 졸았어.

피곤하면 잠은 자야 되잖아… 그 시간에 연락 올 줄 몰랐어.

오늘은 같이 못 갔는데 그럼 낼부턴 같이 가자. 됐지?

…….

211

수영아.
너 바보야?

뭐어―?

갑자기
뭔 소리야?
내가 왜.

흠… 바보
맞는 거 같은데.

아니거든…
앗―

아닌데?

맞는데.

어…!

모호함의
인접리

EPISODE 09

진짜
별 지랄을…

문질

왝

오늘은
같이 못 가.

왜?

3-1

이따 부모님
참관 상담 있거든.

아,
그거 이제 해?
방학인데 왜…

그전엔
일 때문에
바쁘셔서.

그럼
아버지도 오셔?!

반짝

아니, 어머니만.
아버진 나한테
관심 없어.

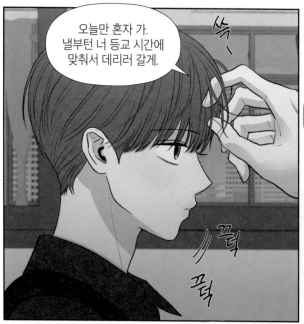

오늘만 혼자 가.
낼부턴 너 등교 시간에
맞춰서 데리러 갈게.

쓱-

끄덕

끄덕

오늘
몇 시에 통화할까?
아홉 시? 너 인강
듣는 거 끝나면
아홉 시쯤인가.

응.
그때 전화해.

220

…벌써 헤어져야 되네. 아쉽다.

뭐가 아쉬워? 어차피 낼도 볼 텐데 뭐.

그래도 학교에 있을 때 아니면 너 못 보니까.

맨날 옆에 두고 봤으면 좋겠다.

ㅇ…야, 오버 하지 마. 누가 보면 너랑 나랑 무슨…

사귀는 줄 알겠네…

탓

와락

진짜야. 너 그날 우리 집에서 자고 간 뒤로 일주일 만에 오늘 학교에서 본 건데 너무 짧아.

콩닥..

콩닥..

이젠 대놓고
못 하는 말이 없네…

넌 내가
그렇게 좋아?

응.

뭐가 그렇게
맘에 드는데?

음… 다 좋지만
하나 꼽자면,

생긴 건 차갑고
예민해 보여도 진짜는
단순하고 순진해서
내가 하는 말 고분고분
잘 듣는 점?

칭찬인가?

뭐
예를 들면…

근데, 그러니까
너 같은 애는 특히
조심해야 돼.

별 좆같은 환상에
빠진 애들이 실험해
보기 딱 좋거든.

임규진 과
같은 애들.

223

뭐래…
그런 적
없는데.

어어— 알겠어.
나 이제 인강
들으러 가야 돼.
보내줘.

…….

부빗

부빗

주인 지키는
강아지…

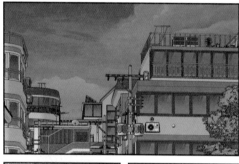

애들아 나 먼저 간다.
곧 알바 시간이라.

휙

어어 빠2

탈탈
탁

신수영~!
이제 집에 가냐?

탁!

아 깜짝아.

너네 집
이쪽 방향이야?
같이 가자.

넌 어디
가는데?

난 알바.

너 근데
알바는 왜 해?
너네 집 잘살잖아.

잘산다고
알바하면 안 되는
법이라도 있냐? ㅋㅋ
내 용돈은 내가
벌어야지.

사실
카드 뺏긴
거지만.

225

넌 학교 끝나고 집 가면 뭐 하나?

그냥 인강 듣고, 오늘 공부한 거 복습하고… 그리고 자야지.

으…….

근데 궁금하긴 하다.

뭐가?

너 혼자 산다며.

나 주변에 자취하는 애들 없거든. 혼자 사는 애들 집은 어떤지 궁금해서.

나중에 놀러 가도 돼? 나 알바 없는 날.

와도 재미없을 텐데…

아— 재미없는 게 어딨어. 자취하는 친구 집 구경 가는 거 생각만 해도 재밌는데?

그래 그럼. 나중에 놀러 와.

아싸~~

아싸~~

출랑

출랑

대신 나 귀찮게 하지만 마.

226

괜히
오라
그랬나…

흠…

아 맞다. 야, 너
임규진 알지.

걔도 집안 삑
딴딴했던 걸로
알았는데, 그것도
태지환 앞에선
죽도 못 쓰더라.

갑자기
무슨 소리야…
임규진은 왜?

아니 몇 달 전에,
그 새끼 태지환한테
개기다가
퇴학당했잖아.

근데 그거 지환이가
일부러 맞아줬단
소리가 있던데.

임규진 정도
빽이었으면
퇴학까진 안 가고
봉사 몇 시간 때우고
끝났을 텐데,

하필 그게
태지환이었단
거지~

태지환 임규진,
둘이 원래 같은
무리였잖아.
쌤들도 알 만큼
유명했지 않나?

근데 3학년 돼선
왜 그랬을까? 걔네 뭐 땜에
틀어졌는지 진짜 아무도
모른다니까?

너도 몰라?
넌 안 궁금해?

몰라…
그런 거
관심 없어.

……

228

그럼 그건 알지?
걔, 손가락 잘린 거.

그거 태지환이
한 것도 알아?

?

소문일
뿐이잖아.
그걸 믿어?

어…뭐,
그렇긴 한데…

걔 말고 그런
미친 짓을 할
사람이 어딨어?

딱 그 소문
퍼진 타이밍도
개소름이고…
태지환이 했다 해도
별로 이상할 건
없지 않나?

229

솔직히
그 새끼라면
충분히ㅡ

네가 봤어?

뭐?

그렇게 하는 거
네가 직접 봤냐고.

아니
그런 건
아닌데…

걔 겉보기엔
성질 더러워 보이고
애들이 무서워하니까
그렇지,

진짜 성격은
전혀 안 그래.
감성적이고 섬세한
애라 그런 거 못 해.

오히려 사람한테
해코지하는 거?
그런 거 싫어할걸?

어…
화났나?

아니 근데,
다른 애들도 다
그렇게 말하는데…

그게 뭐?

네가 태지환에 대해 뭘 알아? 모르면 함부로 말하지 마.

흐응… 넌 많이 알고 있나 보네?

몰라도 너처럼 그렇게 말 안 해.

뒤에서 이런 취급 받아야 될 애도 아니고.

너 걔 진짜 좋아하나 보다.

진짜 좋…

뭐?

231

뭘 그렇게 놀라?

네가 그렇게까지 말해주는 거면 진짜 좋은 친구인가 보다 해서.

화 풀어. 네 친구 안 좋게 얘기해서 미안미안~

오늘 내가 했던 말 태지한테 꼰지르지 마.

난 걔 아직 무섭거덩.

나 알바 하는 곳은 이쪽으로 가야 돼서 먼저 가볼게.

근데 방금 너무 정색했나…?

담에 너네 집 불러주기로 한 거 잊지 마. 약속했다!

……

참나, 저럴 거면서 왜…

…아냐. 이건 송태희가 나빴어.

네.
둘이서요?

그리고
별다른 이야긴
없었고요?

정비서
01:08

키패드   스피커

통화추가 Face time 연락처

알겠어요.
들어가 보세요.

자 오늘
수업은 여기까지.
수고했다.

딸칵

슥,,

21:00

8월 xx일 월요일

촤!

······

조용,,,

아홉 시에
전화한댔는데.

징이잉

아, 왔다.

태지환

콤콤"

나중에 보기

메시지

거절

응답

여보세요.

끝났어?

응.

오늘은
뭐 공부했는데?

영어랑
사탐.

하아

넌 항상
그 과목만
공부하더라.

내가 이쪽에
약하니까…

내가 준 건
잘 쓰고 있어?

패드? 아, 응.
인강 들을 때마다
쓰고 있지. 덕분에.

오늘도 일찍
자야겠네.

음… 글쎄.
방학 땐 그냥
쉬엄쉬엄할까 봐.

에어컨도
늦게 틀어주고…
일찍 등교할 필요
없을 거 같아서.

통화 오래
해도 괜찮겠지.

흐응—

아, 근데 수영아.
오늘 뭐,
별일 없었어?

별일?
별일은 무슨,
수업 마치고 집 와서
공부한 게 다…

그 새끼라면
충분히―

아.

…그게
다지 뭐.

……그래.

근데 왜…?

너… 내가
전에 말했던 거,
혹시 기억해?

난 거짓말
못 한다고.

237

어? 응...
그랬지.

왜 그런지
알아?

나는 만약,
상대방이 했던 말이
거짓말이란 걸 알게 되면...
너무 슬플 거 같아서 그래.

슬픈 건
좋은 감정이
아니잖아.

난 그런 일은
없었으면
좋겠거든.

오늘 수업 마치고,
진짜 아무 일
없었어?

움찔

어, 어...!

진짜야. 나도
거짓말 안 해.

뭐... 이 정도면
거짓말은
아니지 않나?

뻘쭘.

굳이 알려줄 만한
것도 아니고.

으 진짜, 아까
송태희랑 괜히
마주쳐갖고...

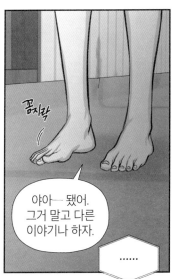

꼼지락

야아— 됐어.
그거 말고 다른
이야기나 하자.

······

넌? 넌 오늘
상담 잘 끝났어?

더우면 벗고 잠

위에는
입고 있어야겠다.

음···그냥 뭐,
뻔하시. 진로 상담.

딸깍

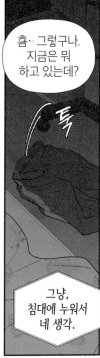

흠·· 그렇구나.
지금은 뭐
하고 있는데?

툭

그냥,
침대에 누워서
네 생각.

펄썩

···넌 진짜
하루 종~일
내 생각만 하지?

끼기

응.

······.

239

잠깐만, 끝… 뭐?
아 뭐, 솔직히 지금
와서 아니라고
하기엔…

얼레리~

화끈..

꼴레리~

하—
갑자기 더워졌어…
위에 옷도 걍 벗을까.

아.

맞다 참,
옷 돌려줘야 되는데
깜박하고 있었다.

무슨 옷?

전에 네 집에서
잘 때 빌렸던 옷.
내가 모르고
가져왔잖아.

아… 지금
내 옷 입고 있어?

홱

응. 이거 빨아서
내일 돌려줄게.

……

그냥 너 가져.
안 돌려줘도 돼.

아냐, 나한테
안 맞아 이거.
어깨도 너무 크고
길이도…

밑에는?

지익—

응?

241

밑엔 뭐
입고 있는데?

어…?
…그냥.

속옷만 입고
있는데…

하아―
빼걱,,

하…
따다닥
특

…?

빼걱
아
탁탁

뭔 소리지?

야, 아무튼…
네 거 너무 커서
난 못 입어.
내일 돌려줄게.

다시 말해봐.

뭘…

방금 거,
다시.

242

…네 거 너무 크다고. 나랑 사이즈 달라서 내가 입으면—

하아…

삐걱

딱

팔 탁

하ㅡ…

움짤

야… 너 뭐 해?

딱 탈 탁 탁

그냥… 네, 생각…

…아ㅡ

지금 내 생각 하면서 뭐 하고 있는데?

245

누워 있어?

…어.

아.

진짜 미친놈인가.

말해봐.

…뭘.

그냥 계속 말해. 아무,

…거나.

아니, 어처구니가… 없네.

무슨, 말을…

……

하아

하라는 건데…

내 이름
말해줘.

으…

흐응…

둘 다 정상이
아닌 거 같아.

불러줘.
내 이름.

……

─환…

지환…

아…
잠깐만…

태지…

나올 거
같…

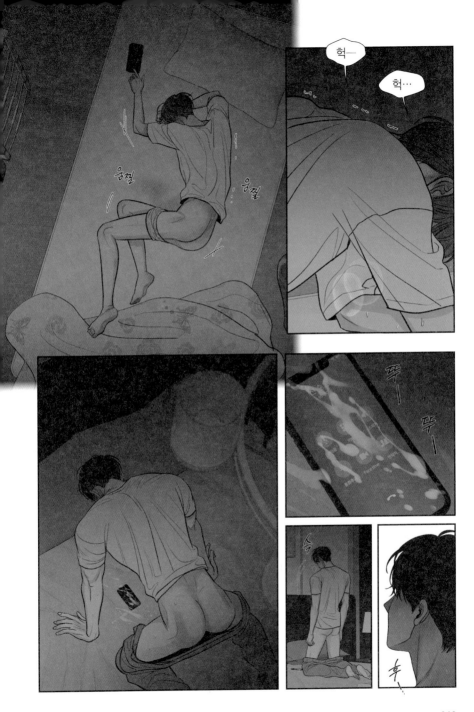

그게 맞는지 아닌지
답은 듣지 못했다.

왜냐면 엄마는
바로 그 다음 해에
자살했으니까.

내 친구라 하면
할인해줄 듯.
너도 벌크업해야지.
언제까지 멸치로만
살 거냐?

치그덕

아, 됐다니까.
너 근데 양치 했어?
냄새 나. 좀 떨어져.

3년 내내
그랬다.

어디
갔다 왔어?

교무실.
쌤 심부름.

탁타탓

신수영~
여기.

두리번

와 ㅆㅂ
몸매 죽인다.

햐~
개꼴리네

오늘 너네 집 가기로 한 날인데 안 잊었지?

뭐야? 누가 보면 내가 협박이라도 한 줄 알겠다? 인상 펴자?

야야! 임규진 이거 봐라~ 존나 어렵게 구한 거임. 너네도 보내줄까?

홱!

아, 응…

…….

봐봐. 이 자세 존나 꼴려. 엉덩이 흔드는 거 보이냐?

씰긋

아 근데 남자 고추도 개 커 ㅋㅋㅋ 여자가 자지러지네 아주.

앙♡

앙♡

빠안,,

…….

태지, 오늘
너네끼리
먼저 가라.

난 수영이랑
저녁 먹기로
해서.

최재희—
나 수업 마침.

어어.

나 간다.
낼 보자.

…….

야 근데 너 요즘
얼굴은 왜 그러냐?
썸박질이라도
하고 다니냐?

신경 꺼.

그냥
서로 아는 애 한 명
중간에 끼고 있는
서먹서먹한 사이.
이게 다였다.

그러다 한 번은
돈 빌려준다는 명분으로
말 걸어본 적도 있는데,

그땐
대놓고 까였다.

핵

왜 대답 안 해?
얼마나 필요
하냐니까?

안 갚아도 된대서
부담스러워?
그럼 조금만…

벌떡

……

난 진심으로
신수영이 맘에 들었고,
좀 더 가까워지고
싶었는데 그럴 수 없었다.

뭐야, 방금
무시당했나?

신수영은 워낙…
주변 따위엔 관심을
주지 않았으니까.

그럼 이따 피방이랑
당구장이랑 나누자.
당구장 갈 사람?

난 피방~

태지 넌?
당구장 ㄱ?

야~ 신수영!

홱

최재희 넌
백날 브론즈 새끼가
맨날 피시방이냐?

문은 내일 바로 교체할 거야. 오늘은 내가 같이 있어줄게.

응... 고마워.

저녁은 먹었어?

아니 아직...

배고프지 않아? 우선 뭐라도 시켜 먹을까.

자. 먹고 싶은 거 골라. 돈은 내가 낼게.

이후에 내가 알게 된 신수영은,

생각보다 단순하단 점과 자극에 약하고...

좀 더 직관적이었다.

쪽

수영아. 너한텐
나만 있으면 돼.

이제 걱정하지 마.
내가 너 행복하게
만들어줄게.

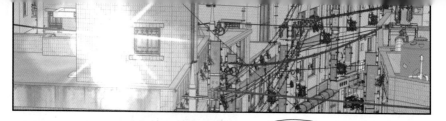

흠… 현금이랑 통장에 있는 돈까지 합하면…

이번 달 공과금 내면 여기서 반은 줄어드려나.

그래도 일단 오늘 참고서 사고, 식비만 조금 줄이면 딱 될 거 같긴 한데. …뭐, 하루 이틀 굶는 것도 아니고. 이 정도면 버틸 만하겠지.

드륵

엄마— 약 갖고 왔어.

어, 수영아 일찍 왔네?

응. 서점 가는 김에 일찍 일어났지.

268

진통제랑 소독약.
바르는 약은
혹시나 해서
여분으로 사왔어.

탓

요즘 어때?
수술한 데는
괜찮아?

그럼~ 가끔
통각 오는 거 말곤 이젠
목발 없어도 충분해.

그러니까
이제 혼자서
가게 일도 보지.
너무 걱정 마.

……

엄마. 나 그냥
다시 집으로
들어올까?

뭐?

얘도 진짜…
너 그럴 줄 알아서
일부러 오지 말라고
한 건데.

넌 항상 그래.
너부터 챙기라니까.
여기 있으면 엄마
걱정부터 하잖아.

여기
돌아와서 어떡하게?
가게 바쁠 때 공부나
제대로 할 수 있겠어?

이거 저거
신경 쓰느라
해야 될 일도
제대로 못 하고.
안 그러니?

너 이런 데서
죽도 못 쑤게 하는
것보단 거기가
훨씬 낫지.

……

사실
그렇다.

일찍이 집을 나와
따로 살게 된 것도
가게 뒤에 딸려 있는 쪽방
하나가 원래 우리
식구끼리 살던 곳이다.

혼자 떨어져
나와 있으면 당장
가족 생각은 덜 하게 돼서
공부에만 집중할 수
있는 점이 있긴 하지만…

콜록

콜록

왜 그래?
또 어디 아픈
데 있어?

괜찮아.

그냥 요즘
기력이 없긴 한데…
나이 먹으면 다
그렇지 뭐.

것보다 돈은?
생활비는
안 모자라?

아냐
충분해.

절레

절레

알겠지?

……응.

부족하면
말해.

엄마랑 삼촌은
항상 네가 잘되는 게
먼저니까.

음… 이 가격이면
이번 달 식비 빼도
대충 맞긴 하겠다.

영어 참고서는 됐고. 사탐도 하나 사야 되는데…

어디 보자, 이거면 되겠지? 보충수업 끝날 때까진 충분…

안녕.

?

뭐, 뭐야? 너 왜 여기…

보충수업 참고서 사려고 왔지. 수영이 너도?

아, 응.

밖에서 마주치니까 반갑네. 이런 경우는 잘 없는데.

어… 그러게…

……

신기하네. 어떻게 같은 시간 같은 장소에서 마주치지?

앞 분 먼저 계산해드릴게요.

전부 세 권인가요?

네.

움찔

적립카드
있으세요?

어…

네?
아, 아뇨…

5만
7천 원입니다.
영수증
필요하세요?

아…네. 현금
영수증도 할게요.
5만 7천…

네!?
잠깐만요.

아 죄송합니다.
잘못 가져왔나 봐요.
한 권 뺄게요.

탁

제가 살게요.
같이 계산해
주세요.

네—

?

야 뭐야,
그럴 필요 없어.
다음에 사면 돼.

다음에 언제?
다음엔
돈이라도 생겨?

15만 원입니다.
영수증
필요하세요?

아뇨.

......

고마워…
이거 다음에
꼭 갚을게.

안
갚아도 돼.

아냐,
갑자기 받은
거라 좀 그래.

뭐… 정
그러고 싶으면
몸으로 갚아.

뭐,
뭐라는 거야.
누가 사달라 한
것도 아닌데ㅡ

우, 웃지 마.
이게 재밌냐!?
장난도 정도껏
쳐야…

키득

?

......

쿵,,

왜 그래?

…아냐.
그냥.

전에 전화하면서
했던 짓 생각났다.

......

너 근데
신발은 왜 그래?

꼬질,,

꼬질,,

신발?

아…! 그… 시장에서
싸게 산 거라 몇 달
신고 나면 금방 헤져서.
버리고 새 거
사야겠다.

이거밖에
없어?

아니. 몇 켤레 있긴 한데 다 거기서 거기…

팍

어엇―

왂

가자.

가? 어딜?

수영아. 너 앞으로 이런 거 필요하면 나한테 말해. 책이든 신발이든.

…어 잠깐만, 어디 가는데?

저벅

신발 사러 가는 김에 점심도 먹고 데이트 하자.

데, 데이트?

......

한가득...

우... 신발만
사는 거 아니었나?
뭐가 이렇게
많아졌지?

흘긋..

나, 아까
다 갚겠다고 한 거
그냥 한 말 아니야.

졸업하면 바로
알바 시작해서 돈
조금씩 모을 거니까.

네 성의는 고맙지만
그냥은 못 받아.

그리고 난
빚지곤 못 살아.

....

재잘

기브 앤 테이크.
이런 말이 왜
괜히 있겠어?

뭐 아무튼 그때
가서 내키면 너
생일 선물 정도는
비싼 걸로…

재잘

아 맞다.
너 생일 언제야?

7월
11일.

뭐?! 한참 지났네.
왜 말 안 해줬어?

네가 안
물어봤으니까.

279

…어…
그렇긴 한데 그러네…
내가
안 물어봤네…

괜찮아.
내년에
챙겨줘.

후욱…

수영이 넌?

11월 11일…

그래? 내가
더 빠르네?

나이도 내가
더 빨리 먹고?

생긋

그게 뭐?

…아.

야- 됐어.
그런 유치한 거
안 해.

나 별말
안 했는데?

핵

……

다 왔다.
짐 들어줘서
고마워.

삑

삑

멈칫

저기,
지환아.

우리… 이제
되도록 전화 같은 건
안 하면 안 돼?

무슨 소리야
그게?

아, 그러니까
내 말은… 네가
전화하는 게 싫다는
건 아니고.

바, 밤에 남자 둘끼리 통화해봤자 뭐… 딱히 할 말도 없고… 그래, 톡. 톡으로 해도 상관없잖아.

전화 대신 이게 더 편하지 않나? 시간 제약 같은 것도 없고…또,

뭐어… 그냥 아무튼 이제 전화는 좀 그래.

수영아. 너도 같이 했잖아.

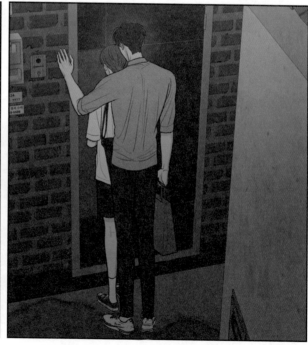

어?

핵

뭐, 뭘…?
뭘 같이 해?

설마… 그때
알고 있었나?

아냐, 그럴
리가 없는데.

슥..

헉

툭

근데 아예
하지 말라는 건 싫어.
그 말은 취소해.

알겠어.
그럼 밤엔 전화
안 할게.

뭐…?
앗.

취소.

꽈
악…

와싹…

아,
아프…

취,
취소…

그래—
그럼 갈게.
내일 보자.

뭐,

뭐지
방금…?

딩동〜

댕동〜

야야,
똑바로 서.

아 제발
살살 뛰어라
이성현.

아니 딱 붙어 딱.
가랑이 사이에 머리
제대로 박으라고.

시끌

시끌

아오ㅅㅂ

간다 간다-
진짜 뛴다-

두둑

어어 신수영
타이밍 죽이네.

?

아 빨리
뛰라고~!

넌 가벼워서
뛰어도 괜찮을 듯.

아 됐어.
너네끼리 놀…

타이밍?

퍽

일로 와봐.
너도 같이
하자.

원래 송태희 차렌데
저 새킨 덩치 커서
마지막에 해야 돼.

핵

…….

그럼
니들끼리 해.
나 오답노트
정리해야 돼.

아— 좀
같이 놀자니까.
그게 그렇게 싫냐?

시끌

시끌

흘긋

덜컹

야 그래 차라리
이성현 말고
신수영이 뛰어라.

아 걍 빨리
아무나 해!

287

야들아. 너네 좀 시끄럽다.

엉? 아, 태지…

야야, 너도 낄래? 우리 5만빵 걸었는데ㅋㅋ

야! 쟤 뛰면 우리 다 깔려서 뒤져!

ㅋㅋㅋㅋ 개재밌겠다. 하자하자.

?

톡톡

절레

어…어어?

아씨…

하핫! 그… 우리 넘 시끄러웠나? 좀 조용히 할까?

놀 거면 밖에 가서 놀아. 그리고 하기 싫다는 애는 좀 내버려두고.

팍

앗!

휙

ㅋㅋㅋ 이성현 꼽 당했누.

낄낄

에이씨… 눈치 보여서 뭐 노는 것도 못 하겠네.

아니 근데 요즘 지환이 존나 예민해 보이지 않냐?

어 맞어. 요새 좀 까칠하드라. 뭐 기분 안 좋은 일 있나?

……

근데 신기하네. 태지한테도 그런 일이 있을 수 있다니.

예민하다고?
그런가? 난 잘
모르겠는데.
그냥 평소의…

야아―
신수영.

너
태지환이랑
친하냐?

어? 뭐…
그냥저냥.

그냥 저냐앙~?
구라 치지 마.
요즘 태지랑
자주 다니던데.

내가? 근데 뭐…
같은 반이니까.

아니― 내 말은
태지환이랑
언제부터 친했냐
이 말이지.

너 뭐 걔 약점
잡은 거라도 있냐?
너한테 왜케
치근덕댄대?

뭔 소리야.
약점은 무슨…

그리고 요즘 우리한테 너무 관심 없는 거 아니냐?

놀자고 하면 맨날 팅기고, 진짜 개노잼~ 신수영 개노잼~

공부하느라 바빠서 못 놀아.

쳇.

툭덜

툭덜

그러고 보니 진짜 그렇네.

3학년 초까지만 해도 이성현네 무리랑 어울렸는데, 어느 순간부터 태지환이랑만 다니게 된 거 같기도 하고…

…음.

야, 근데 웬만하면 걔랑 너무 친하게 지내지 마.

딱 적정선까지만. 적정선, 알지?

걔랑 엮이는 애들 어떻게 되는지 알잖아 너도.

뭘?

뭐 옛날부터 소문은 자자했는데 애들이 알아서 기니까 그렇지.

왜, 이번에 개기다가 좆된 임규진만 봐도… 걘 멀쩡해 보이다가도 가끔 좀 그렇지 않냐?

대놓고 그런 게 아니라 은근─하게 미쳐 있는 거.

그 손가락 소문 퍼진 뒤로는 더.

손가락…

또 그 얘기.

이성현. 너까지 왜 그래?

어엉? 뭘?

송태희도 그렇고 왜 그렇게 다들 태지환한테 겁먹어서 그러는 거야?

아~ 태희도 그 얘기 했냐?

역시 눈치 빠른 애들은 다르네. 누구랑은 다르게~

쑥쑥

여기서나
저기서나 괜히
호들갑들은…

까톡

까톡

다음 주까지
급식실 공사라
교실 배식 하기로
한 거 다들 알지?

급식 당번
정해야 되는데
어디 보자…

봉사활동
점수 준다.
할 사람?

저 할게요.

수영이만? 일단
최소 두 명은
있어야 되겠는데…

한 명 더.
한 명만 더 해라.

헌끔

할 사람 없냐?
너네 정시까지
가는 애들은 생기부
관리해야지.

?

그럼 저도
할래요—

오케이. 그럼
수영이랑
성현이로.

4교시 마치면
1빠로 가서
들고 오자.

어?
으응...

태지환도
손 들 줄
알았는데...

푸흣

키득
키득

뭐...
왜 웃어?

생긋

미안. 내가
눈치가 없었네.

화악

뭐야
진짜…

꼬적

꼬적

눈치 없으면
놀리지나
말던가.

끄응.

♪ ♪

아~ 신수영
빨리 좀 와.
개느리네.

쌩~

으-

얘배배~

평소에 운동 좀
하지 그랬냐~

빠직

아니, 지만
가벼운 거 들고 가면서
나보고 어쩌라고.

얘들아
오늘 반찬
제육볶음이랑
돈가스다~

힉

아싸
제육~~

배고파
돌아가시겠다~~
나머지는
언제 오냐?

신수영이 들고
오고 있엉.

아
개느려___

297

오~
말하자마자
옴.

야야, 줘.
내가 들게.

아 됐어.
꼼수 부리지 말고
나머지 반찬통이나
마저 갖고 와.

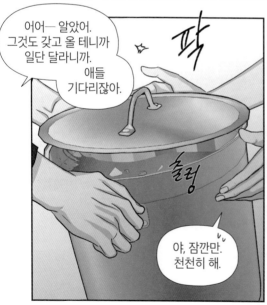

어어— 알았어.
그것도 갖고 올 테니까
일단 달라니까.
애들
기다리잖아.

팍

출렁

야, 잠깐만.
천천히 해.

퍼덕

왁—

악─

헐 야!
괜찮냐??

으...

야 누구
물티슈 있는
애 없냐? 닦을 것
좀 빨리.

아니 일단
찬물로 씻어야
되는 거 아냐?

으으...

나 물티슈 있어.
이거 써.

아 씨...
진짜 미안
어카냐 옷...

야, 지금
옷이 문제냐?

299

이성현 그니까 조심 좀 하지.

아니! 이 새끼가 나 밀어서 넘어진 거라니까! 너네 못 봤냐?

저벅

아 ㅅㅂ 우리 반 급식 못 먹는 거 아님? 걍 매점 갈까.

!

윗!

수영아! 너 뭔… 이게 무슨…

아… 괜찮아…

파들

파들

그냥 좀 데인 것뿐이야.

웅성

웅성

……

이성현! 이성현 이 새끼가 손에서 국통 놓친 거 봤어.

뭐? 야! 니가 밀었잖아 새꺄!

그러니까 니가 거기 왜 있었냐고. 신수영이 시킨 대로 반찬통이나 마저 갖고 오지!

야, 지금 뭐라 했냐? 개빡치네 이 새끼?

네가 그랬어?

어… 잠깐만 태지, 내 말 좀 들어봐.

국통 엎은 건 내가 맞는데… 저 새끼가 밀어서 그랬다니까?

쟤 아니었으면 쏟을 일도 없었다고! 저 새끼 저렇게 발뺌하는 거…

발뺌하면 뭐?
수영이가 저렇게
안 다쳐도 될 걸
다쳤잖아.

악ㅡ

야ㅡ 야, 잠깐!
그게 니가 이렇게까지
화낼 일이냐?

아ㅡ!

성현아.
죽고 싶어?

야! 그만해. 그런 거 아냐.
이성현 잘못 아냐.

내가 무리하게
무거운 거 들고
나르려다 그랬지…
아무튼 성현인
잘못 없어.

…….

아니 세상에,
이게 뭔 난장판이냐
이놈들아!

누가 이랬어?
이거 빨리 치워! 잠깐만,
수영이 너 옷이 왜 그래?
그 손은 또 뭐야?
뭔 일이야?

국통 엎어서
데였어요 쟤.

하이 참, 이
새끼들 진짜…
반장! 애들 시켜서
좀 치우고.

아 또 왜요?
제가 해요?

투덜

잔말 말고 해 인마.
지환아 넌 수영이
양호실 좀 데려가라.

가자,
수영아.

탓

아냐, 나 혼자
가도 되는데…

가자.

잔말 말고.

움찔

어…?
으, 응.

탓

양호실

자, 됐다.
그렇게 심하게 다친 건
아니니까 괜찮을 거야.

감사합니다…

이거 언제까지
하고 있어야 돼요?

한 일, 이주일 정도.
약 꼬박꼬박 바르고.

항생제 사먹는
것도 잊지 말고.

그리고
왼손이라 다행이지
오른손이었어 봐.
조심 좀 해.

고3 수험생은
몸이 제일 우선이야.
알겠니?

네에…

305

이제 양호실 출입 명단 쓰고 가봐. 쌤도 바쁘니까 다음 일…

두적

잠깐만 기다려. 가져올게.

드륵

양

아, 교무실에 두고 왔네.

탁

슥

?

……

그… 이상하게
너랑은 매번
양호실에 같이 오네.

전엔 체육 시간에
배구 하다 다쳤었나?

눈치.,

원래
이렇게 자주
다치진
않는데…

톡

아까 성현이
왜 감쌌어?

감쌌… 뭐?

너 걔 때문에
다쳤잖아.

아까도 말했잖아.
걔 잘못 아니…!

…라니까.
내가 괜히 도와
준다는 거 싫다고
거절해서 이렇게
된 거야.

스윽.,

그리고 그런 거 따져봤자 좋을 것도 없고…

……

얜 또 왜 이래? 뭐가 또 맘에 안 들어서 이런대?

툭

…모처럼 둘만 있는데.

너 걔 언제부터 알았어?

획

뭘?

이성현. 걔랑 많이 친해?

슈욱

친하냐고? 뭐… 1학년 때도 같은 반이어서 그때 맨날 놀긴 했지.

근데 요즘은 입시 때문에 각자 바쁘니까.

걔 좀 심술궂어도 나쁜 애는 아냐.

308

1학년 때…
나 어려울 때 도움
조금 받기도 했고.
지금 친구들도 걔 땜에
친해진 애들이거든.

넌 걔랑
안 친했나?
같이 놀면
재밌는데.

아, 이참에
다음에 셋이서
한번 같이 놀래?

네가 성현이랑
친해지면
나도 좋…

필요 없어.

그런 거.
너한테 아무 쓸모
없는 거야.

으, 응?

수영아. 앞으로
내가 바라는 것 중에
하나는 미리 말해줄게.

너도 이제
조금씩
익숙해져야
하니까.

…뭔데?

익숙해지다니?

난 너
다치는 거 싫어.
네 몸에 상처 나는 거
못 보겠어.

근데 이건…
내가 어떻게 할 수
있는 게 아니잖아.

뭐, 뭘… 이 정도
가지고 그래?
별거 아냐.

손등 좀 데였다고
뭘 그렇게 반응하냐 넌?
오버하지 마.

내가
오버하는 거
같아?

아참 지환아. 아까 담임쌤이 너 불러 달라더라. 빨리 가봐.

수영이 넌 잠깐 기다려봐. 소독 한 번 더 해줄게.

아, 네…

안 따갑지?

괜찮아요.

양호실

어, 태지! 왜 너 혼자만 와? 수영인 괜찮냐?

걔 아직
양호실에 있냐?

…응. 왜?

아니 뭐…
나도 괜찮은지
보러 가게. 아까
사과도 제대로
못했는데…

많이 다쳤어?
아씨 신수영이
이걸로 또 ㅈㄴ
부려먹겠네…

아,
내가 잘못한 건
맞긴 하지만.

……

글쎄, 성현아.
넌 수영이 걱정 말고
네 앞가림부터 해.

팍

?

이번 거 그냥
안 넘어갈 거니까
그렇게만 알고 있어.

312

…허어?

태지 저 새끼 또 뭐라는 거야…

313

모호함의 언저리 3

초판 1쇄 인쇄 2024년 12월 1일
초판 1쇄 발행 2024년 12월 6일

글·그림 이지
펴낸이 정은선

표지 디자인 양혜민
본문 디자인 (주)디자인프린웍스

펴낸곳 (주)오렌지디
출판등록 제2020-000013호
주소 서울특별시 강남구 선릉로 428
전화 02-6196-0380 **팩스** 02-6499-0323

ISBN 979-11-7095-338-8 07810
　　　 979-11-7095-194-0 (세트)

ⓒ 이지, 2024

* 잘못 만들어진 책은 서점에서 바꿔드립니다.
* 이 책의 전부 또는 일부 내용을 재사용하려면 사전에 저작권자와
　(주)오렌지디의 동의를 받아야 합니다.

www.oranged.co.kr